CODARSNAÍ

Tomás Mac Síomóin

CODARSNAÍ

Tomás Mac Síomóin

Clódhanna Teoranta
Baile Átha Cliath agus Corcaigh

in ómós do mo chara
is do mo oide
Máirtín Ó Direáin

Tá scleondar is sceimhle
Ag scrabhadaíl san scáth
Sa ngleann úd gan ghrinneal
Idir focal is focal

Tá gáire is guais
I ngréasán mo dháin:
Tá créacht agus céirín ann.
Toille is torracht

Is má théirse i bhfiontar
Mo dháinse, guím.
Ná faighirse faobhar ann
Gan fastaím"

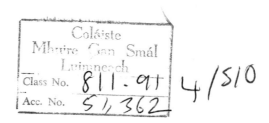

An Chéad chló 1981

Le ceannach go díreach ó:
An Siopa Leabhar,
Conradh na Gaeilge,
6 Sráid Fhearchair,
Baile Átha Cliath 2.

Clódhanna Teoranta i bpáirt le
Folens agus a Chuideachta Teoranta
a chuir i gcló.   _

CLÁR NA nDÁN

FIN DE SIÈCLE

Ar lagthrá rabharta ár misnigh
Cor úr cuireadh inár ndán —
Síol an tsáile do phéac
Gur sheas inár radharc faoi bhláth....

Ar sceirdurlár ár linne
An craobhán seasc do shíolaigh
Is léirigh síneadh a ghéaga conair
Thar Shinai ar ndeoraíochta....

Shruthlaigh fíon
Aníos ón bpréamh,
Ag rince is ag coipeadh
Trí ghas is ghéag

Ag iompar meisce
Is gaisce gréine
Ó chraobh na láine
Go craobh na seisce

Mar scian trí im
Mar eala trí spéir
Mar thóiteán Dé
I gcoillte ár n-éigin....

Ná h-abair anois, a mháistir,
A leoin faoi lár na lice seo,
Gur Samhradh Beag na nGéanna bhí ann —
Síolsceitheadh ag béal na h-uaighe,
Nó go bhfásfaidh smál
Ar bhláth is ar ghéag,
Snas bán thar mhil do bhriathair,
Nó go mbreacfar caint an Chnocáin Ghlais
Ar mharbhphár na síoraíochta...

Ach tá sneachta á chárnadh inniu,
Mo léan,
Thar an mbéal a chan an briathar;
Tá beo an tsíl a chuiris

Á sciochadh
Ag méara dalla an Gheimhridh:
Tá ciúine reó á leathadh
Thar léire líne is chruth,
Bodhaire Ghall ar éisteacht,
Bailbhe Ghael
Ar ghuth....

Ar lagthrá rabarta ár misnigh
Tá síol an tsáile faoi thámh
Ach tá craobhán seasc inár gcuimhne
Fós
Ag seasamh inár gcoill
Faoi bhláth —
An craobhán seasc úd
A shíolaigh
Is a roinn a thabhartas le cách,
Aithis pháir a thásc inniú,
Ródchomhartha i dTír na nDall ...

2

AMHRÁN ÁRSA

Macalla glóir áin
'Sea tásc na mbard mbras!
Ach ar shamhail fhíor ded' dhán,
A Mhuiris Mhic Dháibhí Dhuibh,
Fuarán fialfhrasach ag réabadh aníos
Trí "urlár Gallda" ár ré?

Ceal uisce d'fhanfadh craobhán seasc;
Bláth ní fhásfadh gan beannú na préimhe;
Ach barr is síol an imeodh ó rath
Dá gcoscfaí do thoirtín
Ar fháslach ár n-éigse?

Nuair thánais inné
Ag triall faoim' dhéin
Géillsine m'fhocail dod' bhinnphort gheallas;
Nuair théarnaigh Iosbéal na ndán im' dháil
m'Ómós dá h-áilleacht
Ar phár bán bhreacas.

Ach cér chás sean-mheadaracht
Ar ghuala ár ngá
Is an spealadóir 'nár measc,
Fuil ar an tsráid,
Ár mbrionglóid 'na smionagair
Faoi bhun ár gcosa is
Gach cime 'na chodhladh
Ar chneá a chomharsain?

Nó cér chás Iosbéal ag siúl trím' dhán,
Is ceol ag géilleadh do riteacht do reacht'?
Nuair a chuireas rann faoi shrathar do thola,
A Mhuiris Mhic Dháibhí Dhuibh,
Chonaic an dá radharc úd
Ar scaileáin a rosca:
Coineart Cherberus 'nár spéirse scaoilte
Is iarsmalann fhalamh á tógáil
Ar árd balbh na fola.

3

FREAGRA PHASCAL AR NIETSOV

A Ghospóidín, a chara,

Ní fearacht gin
i mbroinn na máthrach
nach feas dí
gnúis a buime

nó ise
faoi bhláth a máthrachais
nach feas dí
aghaidh a linbh

an peacach bocht
faoi dhraíocht
ag cluiche meabhail
na cruinne

aghaidh a Thíarna
dó ní feas
ach is feas dá Thíarna
eisean!

DESCARTES 1980

Dushlán na toinne,
A thaibhse, nuair thugais,
Ní hé dála Cainiút, tráth,
Nó Cúchulainn na n-éacht
Ar chladach Mhuirtheimhne,
An claidheamh do chumais
As cruach do chnáimh
Le bólacht Théatais
Go buan do ghiorraigh....

Díothrá fhalamh dar leat da bhranar
A roinnfí feasta d'réir riail do thoighis;
Na préamha stoite salainn mhúchfaí
Faoi bhorbfhás síol do shaghais.....

Ach 'sé Neamhní tíarna
Chríocha na h-eornan,
A thaibhse chríon mo chnáimh,
Ó scaoilis cré ó shrathar na taoille....
'Sé Ganntan, cásamh cáich, an dáileamh
In ósta anbhfáilteach do rabairne
Ó rianaigh rinn do fhaghairte scríob
Um urlár allta ar mbiaiste...

A fhir do cheansaigh tonn is taoille,
A thaibhse chríon mo chnáimh,
Nuair osclód créachta glioscarnach' an tsalainn
Le faobhar gheilt mo ghá,
Sá mo mhéire ná coscfar
Ag leithbhe liath do láimhe
Go bhfoilseo' tásc mo ladhrach dhomh
Iomláine oidhreacht Thomáis..

IARGAIN ACAILL
(do Aonghas MacNeacail)

Chi mi anochd 'nam bhruadar
Air monadh 's air sràidean,
Air cnocan s' air, cuantan
An tannasg liath 'gam thathaich ....

Dé tha dhìth ort, mata,
A neach bho thìr mo bhruadair —
An leug prìseil àluinn ud
Fo fhacal ghrod mo bheòil,
An sgiamh fo sgiamh na sgèimhe
An creagan lom mo sgìre,
No teine Greugach a' sgàineadh
Troimh sparran gruamach na Traoidhe?

No nan coimheadainn air an dealbh ud
Air cùlaibh tìr mo dhàin,
Chithinn coltas rìbhinn —
Sealladh a' bheatha làin,
An rioghan uallach aoibhinn ud
Tha glaiste an dràsd 'nam chridhe
Is mise fhathast 'ga lorg
Feadh rathaidean fàs mo mhiann.

On is breugach an teine tha laiste
Am broinn m'eanchainn sgàile;
Chan iad gaol no gràdh a' choinneal ud
A' losgadh an cridhe mo dhàin;
Fuath, fèile, no fearg chan 'eil ann
Ach àrdan fuar 'nam cheann —
Co-fhreagarrachd chumhang na gràinealachd,
Am falaisgir spìocach gun bhlàths.

Ach nam fuadaicheadh fearg na failleasan
A ceàrnaidhean cràidht mo mhiann;
Nan sgapadh fòirneart doille
A' chaoil eadar ceann is cridhe!
Éist, èist ri mo phaidir, a Dhé,
Mas fìor fhathast faclan Yeats,

6

'S criadh mo charaid sìnte romham
Fo bhìrlinn dhuibh na Gréige,

'S deònaich eagal a sgapadh
Mar sgleò thar sùil mhic Phriam,
'S gucagan teine ri mireadh, ri mireadh
Air mullaichean-taighe na Traoidhe;
Bhristeadh gamhlas Agamemnon
Nan reubtadh glas mo chridhe;
Bhitheadh Briseis eadar mo dhà làimh
A-rithist
'S bheirinn di làn-ghaol...

GLUAIS

bruadar : brionglóid
tannasg : taibhse
leug : seod-chloch
prìseil: luachmhar
sgìre: paróiste
sgàineadh: réabadh
dealbh: pictiúr
coltas: cosúlacht
uallach : uaibhreach
rathaidean: bóithre
gamhlas: spíd.

àrdan: bród
co-fhreagarrchd: cothromán
falaisgir: tinte cnoic
spiocach: spriúnlach
blàths: teas
faileasan: scáthanna
birlinn: púcán
sgleò : scamall súile
gucagan: péacáin
ri mireadh: ag imirt

7

FÉILEACHÁN

Ardód chuici, adúras,
íobairt dharaí gach féith.....
Béarfad chuici
(Baoth mo mhian)
tintreach reann
na n-oileán mara
driogaíl mhaoth
na gcaonach aille is
ógham fada foighneach
na feamainne.....
Ach níor shéideas ariamh
stoc na greine
go buacach
thar a sneachtaí léimeach'
níor cheansaigh gaois
nó giodam a goirme
faoi shrathar smísteach
smachtach
ár scéalna...

Gach tráth d'fhéachas
lem' íota a shásamh
le fíon gléineach a lámha
thugas cealgaireacht aolta
na dúirlinge faoi deara —
siosúram neamhstaonach
idir í is m'éisteacht
is m'fhéachaint á mealladh
ag sobal a h-éithigh,

a féileachan
ag princeam go giodamach uaim
i dtiachóg mhear na gaoithe

8

AR THÉAMA DE CHUID MHARCUS AURELIUS

Mura gcuirir claidheamh an chlampair id' thruaill,
Mura scoirir ded' strí in aghaidh na taoille,
Mura ngéillir do fháisceadh fuar Nióbe
Cen chaoi a' dtomhaisfir rún
A croí-siúd —
A h-uimhir nár bhraithis
Ar ghaoth nó ar thaoille
Nó a port ná staonann
Ar bhéal na toinne?

Mura gcuirir claidheamh an chlampair id' thruaill,
Gliúcaí a bheas ionat go broinn na brácha,
Ag seasamh id' leathcheann ar tháirseach Eleusis
Id' straeire strusach gan teacht i láthair
Is tú foclach, fairgseach
I bhfara na diamhaire.

AR THÉAMA DE CHUID HORATIUS

A Shíle na baoise, a chailleach na tóra,
Scoir go prap le cleacht nach cóir duit,
Led' spallaíocht bhaoth gan cuibheas gan náire
Is le grág do gháire imeasc na n-ógbhan!

Fearacht bé 'bheadh curtha thar bharr a céille
Ag bualadh bodhrán nó ag driogaí dáire
Atá dóirsí na bhfear ag t-iníon dá réabadh
Is a leathair dá chuimilt le leathair gach straeire....

Ach bíodh thusa, a Shíle, ag foghluim do bháis;
Dáil na n-óganach feasta na taobhaigh;
Pléarácha t-inín dod' shamhailse ní fhónann
Nó giodam an scóir i ngnúis an chaoga.

Agus mise ag rá leat nach measa a céird-siúd
Ná geamaireacht bhaoise na mná is máthair di;
Do Mhilady na mBlianta beirir droim do láimhe
Le péint is púdar is sálaí árda

Ach 'sí an Lady céanna an bhean atá foighdeach
(Mar, gur ise an teachtaire do thoibh an bás);
Ach an croí a bheith umhal dí is an bhorbchré géillteach
Ba bhean í nach gcoigleodh ort duais do shaothair.

Imigh, dá réir sin, chuig Tíarna an Éaga,
A Shíle na baoise, is déan leis réiteach;
Buanóidh sé bithbhrí nuair a bhascfaidh bóirdréis,
Ós eisean freisin Tíarna na Beatha!

ANAXAGORACHT

In anam dubh an tsneachta
Tá rún gach samhraidh breacaithe
Glaischeadal fras gach earraigh
Is fómhar an chaoinsprid leacaithe
Rún nár scaoileadh fós
Dá bháine

ÓMÓS DON CHRIOMHTHANACH

Is mé ar mo mharana ag faire,
Leabhar Uí Chriomhthainn im' láimh,
Ar rince na mara iolsúilí
Um chríocha an oileáin —

Tír ghorm ghainead is ghuardal
Go faillte Uibh Ráthaigh ag síneadh
Is An Cnoc Mór mar chloch chinn
Ar phaidrín mo bhalla críche......

"A naoi-siúd nochtóidh nóiméad ar bith",
Bhí an Tomás seo ag machnamh,
"Is fillfidh an Tomás eile aneas
Thar a rodaibh ghoirt ón gCathair."

Ach cuan má gháireann faoi aoibh na gréine,
Ceann Sreatha is Binn Dhiarmada,
Tá fothrach sreamach laistíos ag feó;
Níl gáir i gcoileach na muintire.

Tost an Rí ar gach maoileann abhus
Is an daoncheol borb ar iarraidh —
An gadaí gan ghéim nár fhan, mo léan,
'Na pholl laistiar den Tíaracht

Ach a réab gan taise thar chuan isteach
Gur shealbhaigh gort an bhaile seo;
A strap anuas trí shúil gach díon
Gur shuígh isteach cois teallaigh......

Tá sé ag fuireach anseo ó shoin.
Chím a scáth faoi scáth gach falla,
An chloch á baint ón gcloch aige,
An fhuaim ó gach macalla......

Ach má taoi ag déanamh chré sa chill,
A Chriomhthanaigh an oileáin,
Gad na fola fiaine níor bhris
Ó chuiris snaidhm sa tsnáth......

Ó díocais deachú dúí dod' fhocal,
Ó bhreacais fuil do chroí ar phár,
Strapann do naoi fós fál na toinne
Idir muir na mbeo is muir na scál.

Chím a cruth ag triall go socair
Ar chaladh an oileáin
Is mé im' aonar im' shuí id' fhochair
Ó bhuanaigh dán do dháil...

Dom' fhocal féin go bhfanfad umhal
Roimh loime léin an bháis,
Mar idir mé is duibheagán Dé
Ní sheasann faic ach focal....

TÁITHLÍN

Do cuireadh bréag ar an mbás.
  ní mar deirthear a-tá a ghoimh,
díol a loisgte lucht na mbréag.
  mairg do chreidfeadh a sgéal soin.

Bhí seomra ann, tráth, i gcríoch céin,
Solas lom ann is scáth,
Fíon ar bord is thusa romham,
A Leisbia, a Mhoirnín, a Audiart.....

I gcuilithe do mhaise i gcoim na h-oíche úd
Gach gealladh bhraitheas is ceol na sféar
Is bé loinnir na seirce i ndomhain do roisc
Do chuir an cor i ngluais mo mhéin.

"Cé thú, a spéirbhean", adúirt le dásacht,
Foghar is focal im' ghlór ag cníopadh,
Is bhualas sall le bheith id' chuibhrinn
Go gcloisfinn géaga do phóir dá ríomhadh

"Mise Peirseifine de shíolbhach Jupiter"
Adúrais go tlá de ghlór caoin íseal;
"Banríon ifrinn mé, is céile Phluto;
Léan is léirscrios cliú mo ríochta."

Scian im' chnámh ar chios sin dom d'airigh.
Arae — trúig do chuairte chugam níor thuig
Murab thusa an bás im' dháil ag téarnamh
Chun m'anam a bhreith go h-íatha Abhernus!

Is nochtaigh m'anam ar scáileán spéire
Mar cnámhóg bheadh crochta idir cré is flaitheas
Is í á meilt gan taise i ndochtdorn Dé
Gur leagais lámh ar lom mo bhathaise....

"Creill na h-ainnise má airír
Im' ainmse", adúrais,
"Nó cogar na cille glaise im' ghlór;
Más biorghath mo sciamh

14

Trí abhras ár n-allagair,
Meabhraigh go leanann soineann síon
Is go mborrann beatha i seol an bháis;
An iadhshlat strapann
Thar sheargluí ithreach;
Gach rí-dhán fásann
As siolla fás."

Focal na Féile
Id' bhéal binn cuimir
A d'adhain dán úr
In áit na loime
A mhínigh céasadh mo chroiche
Chun Cásca,
A shraonaigh goimh an bháis
Chun binnis ....

Síoda do chích canaim dá réir,
Do shliasaid aoil is collchoill Bhéanais,
d'Éadan álainn gan roc gan cháim,
Do chneas
Chomh bán leis an táithlín.

MANDELSHTAM

(Ag éisteacht leis an ngaoth anoir)

Thar bhruacha Mhuir gCarab
Bhí clog na gréine ag creill;
Is bhí méara na mara ag súgradh
Le díslí aoil na marbh.....

Shiúlas sealad cois na toinne úd
Is thriallas ciarchoill Dante gan chonair
Gur airigh gan choinne trí éamh an bháis
Críost faoi gheimhil is É ag canadh

Le dúthracht is díograis
Trí chroí gach priacail gur
"Bhéarsa an cogal ar shíol na diamhaire
A choinníonn cine beomhar bríomhar"*

Ar neamhchead bhogbhéil is bhodaigh an tsaoil seo
I Voronezh céin d'fhógraíodh scéal
A ghiorraigh go pras le creill na gréine,
A chuir aibhleóg le connadh na h-éigse......

Mar: den dáimh a réab
Caolsnáth a shínigh
Idir sáile chaoch
Is cré mo riachtanais
Níor dhluthaigh an tsnaidhm
Orféach athuair
Ach cianghlór céasta
A labhair go h-aonraic:
"Mo chló is mo chliú
Dod' shúil muran léir", adúirt sé,
"Éireódsa aníos ón mbás
Le rá leat
Trí ghreann an ghárlaigh
Isstrí dhuladh mo dhuaine
Go bhfuil an ghrían gheal
Ag soilsiú i gcónaí."*

16

Críost an t-éigeas is É sínte
Ar pháischrann uafar na Rúise
Fíoch A bhriathair ariamh níor choigil
Ar inneoin amh a nuachta
Ach go ceann cnámhbhristeach
Croí-chéasta A shéirse
Scéal seo A Chásca
Do cheangail gan staonadh
I nduan, i ndán, i rann
Is i bhéarsa
Le táirní oighre na Sibéire
De chomhla ciaptha
Na gaoithe anoir.

*Aistriúcháin ar bhlúirí dánta Osip Mandelshtam, mór-fhile Rúiseach a rugadh i Bhársá 1891 agus a cailleadh in Oirthir na Sibéire 1938.

AN TEACHÍN LIATH

(Rann Do Leanaí)

Dúirt saoi liom go maireann Búg
I dteaichín líath gan teallach,
Gan balla, 'lár, nó doras ann
Ar chnoc ar chúl na gealaí.

Ní itheann nó ní ólann Búg
Deoch uisce, leanna, nó fíona,
Nó níl cur síos beacht ar a chomharthaí sóirt
I gcaint a thuigeanns daoine.

Tá cófra falamh sa gcistin ansiúd
Nach bhfuil ann im nó ciste
Is tá toirtín eicínt san dorchadas ann
Á choinneáil aige duitse.

"Céard í an tslí chun an teachín líath?"
A chluinim thú ag fiafraí,
Ach an toirtín úd ní shaothróidh tú
Le freagra prap nó fóirthint,

An paidrín féin ní cabhair, nó dlí
Ní rianfaidh bóthar nó bealach,
Ach tá mapa id' chroí a 'spáineann slí
Chun teaichín liath gan teallach.

AN CHÉAD LÍNE

(i gcead do Phablo Nerúda)

I dtrátha an ama úd
tháinig Moirnín ar mo lorg,
is gan fhios agam cerbh as í
nó gan fhios a'msa conas,
gan fhios agam cathain, go fiú,
ach cling a cantaireacht aníos on tsráid
is a ceol ó chraobh na h-oíche
do chuala
is teilgeadh do grod mé
as seómra an dlí
isteach i gcroí na tine
marar mhair 'feadh seal
gan ghnúis gan éadan
gur leag sí orm iámh.....

Ní raibh fhios a'm céard déarfainn léí
(mo bhéal níor chleachtaigh ainmneacha),
bhí dallaphúicín ar mo shúil
is neach ag bíogadh im' anamsa,
tine ag rince sa bhfuil agam
is péacadh i bpluais mo dhearmaid...
Ach chuireas díom an bóthar úd
an lasair úd á scagadh agam
is líne tosaí ar phár do bhreac,
é lúbach lag gan tathag ann —
ó, seafóid ghlan
ó, saothúlacht íon
beo beathach as béal an amadáin
ach d'oscail doras na bhflaitheas rómham
gan choinne ag ceann mo bhiaiste ....

An táirseach úd nuair scoitheas
cíarchoill mo dhaille 'na criathar d'iompaigh,
i pollta ag sleánna
solas-bhiorach na reann
is saighde bláth is tine

19

Is mise,
gin is lú ar bith,
ar meisce le neamhní mór na n-uile,
ar chló is ar bheoshamhail
fhíor a díamhaire
ceól an duibheagáin
im' chré mhothaíos;
rinceas go ramsach ar roth
na réalt; scaoileadh croí
le sruth na gaoithe.

ANIAR

Annamh céardaí a nochtódh inniu
Gin a chroí sa chloch ómra....
Ní ar a leithéid atá cion,
Agus is fada ó d'imigh
An saor ab oilte faoin gcnoc
Nó gur thug aghaidh a chraois
Ar mharmar coigríche,
Ór, airgid, nó éibhearchloch.

Ach mo ghreidhnse
An mhil a gineadh ariamh
I gcroílár beó an ómra
Is mo ghreidhn go deó
Dubhracht d'ardódh
Bláth scáfar na giniúna
Thar mhachaire bán an neamhní
An rúta fial ag tarraingt
Bia láidir aniar
Ó na ríochtaí imigéin

ABHA

(Do Phádraig agus do Chlíona)

Tugadh an dlí go deimhin trí Mhaois, ach tháinig an grásta is an fhírinne trí Íosa Críost. (Eoin —1:17)

***

Creill malltomhaiste na scarúna
Do chuala
Trí eaglais reo na giúise
Ag fuaimint;
Luan an laoma
Dá nochtadh do chonaic
Ar bharra feoite
Na gcoinneal luachra.

***

Camhaoir uachtar locha:
Réalta oighre dá múchadh,
Céadcheadal lae dá spreagadh,
Pár na h-oíche dá stróiceadh.....

Scuaine solúnta oighearchorp
Ar bharr an tsrutha dá h-iompar,
Gach cruth faoi iamh a chomhaid reó
Is an t-uisce beó ina thimpeall.

Ach scoitheann triall gach reóchorpáin
Tír an Bháis faoi scáth na sailí
Is tá gach camachrág
Ag titim thar bhruach
Ina h-údar scléipe,
Ina h-údar magaidh:

"Beirigí orm más libh is féidir"—
Atá cnáid na h-abhann
Ar fud mo dhúithche:
"Beirigí orm más libh is féidir"

22

Atá gáir an Earraigh
Ag dul le fuadar....

Uisce caoch ar thóir an uisce
Is muid ar imeall an tséasúir!
"Beirigí orm más libh is féidir" —
(Nach mó nó nach lú a réasúin
Ná rince-cheól an tsaoil seo,
Ná tuile is trá ar gcré-ne
Ná leamhnacht ghoirt an lae ghil).

An beo ag éamh
I gcluasa na marbh;
Is loighic an oighir
Ag an Earrach á réabadh;
Tréigeann beoshruth
Sceirdí is scáth
Is sníonn grianfhuil
Trí leathair na bréige.

                ***

Samhail a bheirim duit,
A shruth,
Pianpháis Chríosta
Is An Cháisc dá h-éis;
An braon ar sileadh
Ar Chealbharaigh an áir
Do thárrthaigh sinne
Ó smacht an éaga

An braon dearg leasaigh
Daille an pheaca,
Támh na spride,
Oighearluí na beatha,
Issrothaí an tsaoil
Do chuir á gcasadh.

Tine a Chásca
ar árda lasta
d'fhógair fán
ar dhubh an teampaill

23

Sceón i bpaidir,
Saint i mbriocht,
Ina grá lucháireach
A bhás do chlaochlaigh,
Is meascain an chaointe
Ina ghealspré gháirí....

Spreagtar dá réir sin
Um chorp ar chroich
Píob an aitis
Is caismirt chláirsí;
Ó, beir ar A ghrá
In eangach Phéabais,
I gceadal, i ndán,
Nó i ngáifeacht bhéchló
Go bhfeólfaidh an Coimhdhe
Failmhe do mhéinse
Le failmhe glórmhar
A fhailmhe féinig.

Is tráth a ndéanfar oighear
Den uisce,
Tráth a slogfar glór san tost,
Tráth a dtitfidh feol
Den chnámh,
Sáimhe ar uisce
Nó oighearthámh,
A thost an síol
I mbruth do chiúine...

Baiste a dhuaine
I dteampall na giúise
Ní cheilfear ar aon neach
Nach ligfidh dá fhocal
Briathar a chroí
A chosc ar a Thíarna,
Dá chumas, dá chlisteacht
Nó do chlaonbheart a réasúin
Crapall a bhualadh
Ar each na gréine.....

Éisteacht umhal
Le dán an Dúilimh
Le cluas gan dóchas
Gan dúil, gan uabhar
A fhágfas do chroíse
Ina chroí-siúd leáite
Is an beo le fórsa
Sa mharbhchré sáite.

***

Ar a mhúchadh faoi dheoidh
Do luan an laoma
Ar bharr críondoite
An choinneal luachra
Calthóg A thine
Do chonaic go beómhar
Ag princeam is ag rince
I ngéaga an Bháis,
An sruth faoi thíos
Ag ceol gan staonadh
Trí mhéara spréite
Na sailí.

PAIDIR AN FHILE

'Falbhaidh an saoghal ach mairidh gaol agus ceol'

(Imscríbhinn ar uaigh Mhargery Kennedy Frazer ar
Oileán Í)

Tógann saibhir
Teampall do Dhia;
Ach céard
A dhéanfas mise,
File?

Colbha mo chos
Mo chorp A scrín
Cliabhán mo chloigeann
Don leanbh Íosa

Sé m'adhradh tost
Sí ciúine mo chion
Ach sé'n dán mo phaidir
I gcluais Chríosta

Teampall cloiche
Tréigfear, leagfar
Mo phaidir ní scriosfar
Ag síon nó doicheall

CEÓL NA dTÉAD

Sular rugadh Críost nó Crom
Cuireadh an geata úd faoi ghlas;
Sular stealladh an fhuil cois Simöis céin
Cuireadh Fearfeasa san bpoll faoin scraith
Is rug sé rún na h-eochrach leis
Chun Hádes síos isteach.

Ach ar neamhchead cáich is saoithe Bhín
dOscail an port faoi lagbhrú do láimhe
Gur nochtaigh garraí i radharc do shúl
Nach raibh nimhlus ann nó nathair,
Samhlaoid drúise nó ciarscáth sceimhle
Nó taidhleoir an bháis ag siúil
Ar bhánta, ach

Órféas , éigeas, sheas ann 'na aonar,
Is cruit óir Thracia i ngreim a ladhrach,
Is gach fidil geilt dár chaoin aríamh
Thar iatha allta na hUngáire
I bport a bhéil ghil......

MEIRICEÁ BEAG
(I gcead do Phablo Neruda)

Meiriceá dá bhfeicfinn
ar mhapa,
bheifeá ann, a stór,
árda umha ar do chloigeann,
cíocha, cruithneacht is sneachta,
do chom seang, abhna luath
mar chuisle chroí ag preabadh,
beanna milse is bánta,
an tíreolas amh
le ór cruinnchóipe maisithe
á scor ag do throithe
ó dheas sna críocha fuara.

A ghrá, tráth chuireas lámh ort,
ní h-amháin gur scagas d'aiteas,
ach fosta géaga is tíortha,
uisce agus measanna,
an t-earrach a thugaim grá dó,
thar fhoilmhe fhásaigh — gealach,
cliabh an choilm fhiáin,
míne na gcloch 'tá caite
ag oibriú uisce na h-abhann
nó fós ag sáile na mara,
is tiús rua a sceiche
mara fhoighdíonn ocras is tart.
Is amhlaidh tá fáilte do mhórchrích romham,
a Mheiriceá bhig, id' chorp.

Id' lí choirce feicim freisin
is id' chneas is tú ag luí,
naisiúntacht fhíor mo sheirce.
Mar, tá fear bainte lus an tsiúicre
faoi spalpadh gréine Chúba,
faoi dhorchacht a allais,
ag stánadh orm ód' ghuaillí,
is tá rún an n-iascairí
a chreathann
'na dtithe taise cois chladaigh
fite trí do ghlór, a chuid, is
trí shiollabadh do scórnaí.

28

Is, mar sin, 'feadh do choirpse,
a Mheiriceá bhig mo chroí,
tá mo phóga a n-idirbheaárnú
ag ceantair is ciníocha,
is ní h-amháin go n-adhnann do sciamh
an tine abhus nach múchtar
ach arís, i dteannta mo chiona.

tá sí ag sméideadh i mo leith,
treasna do chríocha ag bronnadh orm
an bheatha atá a dhíth orm,
is cuirtear cré le ceol do ghrá,
póg ithreach
osclaíonn na flaithis dom.

BALL A MHOLFAD

Taobh led' chneas,
A bhean do-ní mo dhocharsa,
Dhorchódh gné an aoil!
Cuarchló do choirp
Ná lig anocht
Im' fhochairse!

Mínchnoic do bhráide séimhe —
Taisce fhíon an dearmaid,
Anocht ní mholfad
Nó ní mholfad ball ded'chré
Seach créméar do láimhe clé
A chrú as cláirseach céin
Ceól a cheansaigh
Mo dhaoscar!

DUAIS

Nuair a dhéanair dem' chnámha
Fráma cruite,
Nuair a dhéanair dem' cheann
An bosca ceóil,
Nuair a dhéanair dem' mhéara
Fearas stoite,
Nuair a dhéanair dem' néaróg
A h-aonsreang óir,

Nuair a theannair isteach
Is nuair fháiscir go dlúth mé,
Nuair a chasair Do cheól
Trí bhéal an fhile,
A Thiarna na bhflaitheas
Ní mór é an t-íonadh
Do phort a bhraith
Faoi sheal a shiolla!

GORT AN CHRÍADÓRA

Nó dá mba feasach mé
Praghas na daoirseachta
Don chom sneachta seang slán
Dá dtug mé grá gan chéill!
An tríocha píosa airgid úd,
Tríocha braon fola
Ánlactha gan aithrí
In Aicealdáma domhain
Mo chré....

TEAIMÍN NA gCÁRT

Árbh é a sheanathair
Nó a athair-siúd roimhe
A chaith go rábach an t-ór
Chun slabhra a cheannacht
A chuirfeadh ceangal
Ar a chaolaibh
Is ar chaolaibh a phóir?
Ach is fada ó lomadh
An sparán úd —
Dhá theanga leathair
Gan cling eatarthu a chló —
Is tá colm chraiceann a chaola
Á ruaigeadh mar óinmhid an strae
Trí thuatha, trí thabhairní,
Trí thíortha,
Ór éithigh ag crannguirt 'na chré;
"Ach an fearr bheith mín marbh
Ar an bhfírinne," a deir sé
"Ná beathach beo
Ar an mbréag?"

AN TOIBHÉIM

Ar scéimh, a spéirbhean m'fhíse,
Ar an laom úd id' thimpeall,
Miste labhairt?
Nó scarúint do ghealdéada —
Ar scaradh "eóin re craobh"
A samhail?

Nó aghaidh álainn a' snoífear feasta
Le órd is tomhais an rainn,
Cabhail niamhdha a' gceapfar
Ag meadaracht tholl ár n-éigse?

"Ar ghrá, ar scéimh",
Adúirt sí,
"Dheamhain toibhéim
Seach foghar a gcanta";

"Na saoithe gur feasach dóibh
Mo scéalsa
Bíd chomh balbh le cloch nó smíste;
Ach dásachtach dícheallach
Gach ainbhfiosán
I mbun a ghréasáin ghrá."

IDIR DHÁ CHLEACHT

(Dúirt Heinrich Heine, an file Gearmáineach a mhair idir 1797 agus 1856, go dtiocfadh dánta ag moladh fataí chun cinn ar shála na románsaíochta)

meabhraigh
fad' lic
a heine (file)
do thairngreacht

dá mb'fhíor go racfadh
rós fan tuile
ar theacht in inmhe
do phór an bhris

tost dá dtitfeadh
ar thúirne glic
na duaine grá
ar inneal na seirce

féin da gclisfí
an gcanfaí feasta
go tréanmhar tric
an bhfásfadh feasta

as téada cruit
laoi mholta an fhata?
an daonlathach tíriúil
bheathaíos daoine

a mhóradh im' dhán
ar phianmhar?
don ghoile oileánda
ar líonadh?

freagra m'fhachta
a heine (file)
fad' lic
meabhraigh

Ciall do cheachta
ar t'anam ná lig
fad' phluic
ramhrú

lúdrach theann
ar a gcrochfaí
comhla luaill
mo chleachta

LEITHSCÉAL NIETSOV

Gliceas deibhí
Dhomhsa ní feas,
Caighdeáin,
Díochlaonadh
Nó gramadach.

Tá Do éisteacht,
A Dhia,
Gan roinn,
Gan smál;
Canfad
Dá réir sin
d'Réir
Guilm
Mo ghrá

TREOIR

Léim isteach in aol an fhocail
is 'spáinfear duit críocha

Léim isteach in eibhear mo bhéarsa
is 'spáinfear duit púicín
na gréine ciartha

Léim isteach i bpóca mo chnis
do shúil ní dhallfar
ar shúil na gaoithe

caith a goirme-siúd isteach
i ndianbhruith láibe
brúigh go domhain isteach é
le rinn do shála

fág trí lá é
fág trí oíche
go bhfásfaidh an focal
as gorm na gaoithe

focal broinne
focal brácha

imigh leat a chleite
le gaoth an fhocail úd

CELAN*

Nuair a shní an lá as toll na spéire
uige an bhisigh bhréige feannadh
anuas ód' chneá
gach speabhraoid lae is oíche
stracadh
anuas ód' mhian.

Is nuair a stath dia siolla
as snáth teann do bheatha-sa

shnámh an créachtcheol anall le clapsholas
an dealán craobhach ar bharra taoille
le h-éirí na gealaí
d'at is réab
gach mogall caoch in eangach d'oíche
gur thit do dhaingean cnámh isteach
i mbóchna bhaoth na síoraíochta.

Le uamhan an aitheantais
an tásc úd do léas
do rann a scoith sáinn gach réasúin—
gath glé a léim tar fhál na n-aoiseann
d'aimsigh a mharc
i mbeo mo chré-se

is féach, a fhile
fuil allúrach do chréachta
ag coipeadh go fras
tar chab mo bhéarsa.

*Ainm chleite Paul Anczel, file a rugadh i mBukovína na Rúmáine
1920. Bí an Ghearmáinis teanga a bhéarsaíochta. Chuir sé lámh ina
bhás féin i bPáras 1970.

IL Y A DES MONSTRES

"Il ya des monstres qui sont très bons" (Guillevic)

seo fiseolaíocht duit a thaisce,
an nathair
a bhanbaigh aríamh
i ngabhal mo bhrístí

árbh fhéidir
gurab ionann is
an nathair atá

ag eorpú anois
i mbrollach
mo léine?

EADARTHEANGACHADH

As cláirseach gan sreang
atá ceól an fhómhair
ag siosarnach anuas

siollaí faoi bhalbh-íonadh
ag cruinneáil ag na crosairí

is tádar ar a dtáirm anocht
"donn" agus "buí" á rá acu
de chogar —
na cainteoirí dúchais seo
gan fiacla

ach ní thuigir a dhath
na bac
is gearr eile a mhairfidh siad

agus tá feadóg gan pholl agam
ar a gcasfaidh mé
(duitse ach go h-áirithe)

an port
          ceanann
céanna

TEANGMHÁIL

Nuair do phlabadh ar mheabharchloch
meabhailcheadal na céille
fuadaíodh an brollach, an bheach, agus bán
agus bheárnaigh an choill ghlas
cnó m'aonaránachais
gur labhair liom an chraobh
an sceach is an tamhan
is m'urlár níor breacadh
le seilí a scátha

gur b'iúd chugam an glaschág
faoi airm is faoi éide
cláirseach dá spreagadh
ag caolmhéar amhráin
caidhp na gcloigíní
ar chónra throméigse
is paidrín in ifrinn
ag rón caoch dá rá

Nuair a ling colúr liath
na sioraíochta tar táirseach
rug fírinne na fairrge leis
in éitheach mo dháin
is má tá séala na mara
fliuch fós ar an scéal seo
tá eochair gach beatha ann
is eochair gach báis

PIZZICATO

Ar mhiste mór ár malartú anama
A mhuirmhaighdin mhongsholais mhíonla?
Ó rónabhair ceanncheathrú dem' chroí
I ngach fuilrabhartú mothaím
Do mhuirchaint amaidí is
Ré roilleachán na gaoithe
Ná fuil a gluais fós scríofa
Ag púscadh trí mo laoise!
Ochón agus

Uch, a stuaire na dtrom gciabh,
d'Fhágais praiseach 'fud mo mhéise!
Ag goineachan im' fhuil ataoi;
Tá do scéal ar fud mo éigse
Is ar urlár allta mo thí
Léir an diobháil gramadáı
Nó an siúlód díreach choíche is
Mé ag iompar mire do théiscinne
Ochón agus

Uch, a bhé na ndual feamnaí
Atá ag iompar m'anama,
Dá bhfágfadh tú mo scéal,
Dá shámhfá as mo leathanach,
Nó dá bhfillfinn faoi chathréim chaol
Ar chaoiche shocht mo mheadaracht,
Dá gcuirfí boilscniú na mara ar cheal
Ag cáin-fháisnéis an aitheantais?

Ochón agus uch
(faoi sheacht)

43

AR DHÚIRLING

Fiú nuair a osclaíonn na caisearbháin
(Is iad ag rince sna gorta dubha)
Iomláine mheabhail a gcroíthe
Don ghealach,
Is nuair airítear bó na béaloideasa
Ag smalcadh ceathrú feoile,
Is nuair nach mbíonn i ngad Ariadne
Ach cealgshnáth
in aimhréidh.

Fiú
Ansin
Bíonn ruabhéic
Dhochloíte
An chorrlaigh
Timpeallaithe ag
Balla ná ligeann
Aon cheo tríd
A thost
Fiú
Is

Briseann ailgéabhar gan eochair
Ar dhúirling cloiche allúraí

RÍSEACH

Rug beocht uirthi sealad
b'shin sáile a phóige
is chaith sí an criostal nua-
   shaolaithe 'feadh ala
gur chraith uaithi aríst é
go fánach

na sciatháin gheala do thit
anuas ó chraobh na gaoithe
cnámh briste an
chonraidh roiste
deora fola

ar an gcréacht, ar an gcuimhne seo
beathaíodh a mian
as lomra na gaoithe
chum sí snáth dubh an rísigh

is d'fhuaigh brachlainn suaill is bád
le snáthaid a caointe

BAISEO AR AN mBÓTHAR ADUAIDH

Tráth ar loisceadh
spreangaidí na gealaí
ag sugán fola

stathadh port
as tuar ceatha
ag caolmhéar uisce

d'fhás dobharchú is lámha
as clocha
is báisteach

collchoill do chroí
don mheisce seo
dá ngéillfeadh

a scríobhadh de dhánta
a scríobhfar
deoir fhola
ní shílfeadh

a scríobhtar?

fuil na n-uile
ní lionfadh!

NIETSOV AGUS AN MHAIGHDEAN MHARA

An uair
Shantaigh mé a béal
Is sólás a bráide,
"Frithfhilíocht" adúirt sí,
Is ní raibh sí ag gáirí —
An mhaighdean bhreá mhara seo
I ngrianlúb na trá,
Tuar cheatha ina h-eirbeall
Is leabhar naofa ina láimh.....

"Níl an dúchas id' rann, is
Tá do theachtaireacht mí-chríostuil"
Do ráig an neach mara....
Ach bhí sí chomh séimh sin,
Chomh cluthar cé iascúil
Go mba dhóbair dom géilleadh
Do reachtaibh a dlínse.....

Ach: "caith uait do bhaothchaint",
Adúras,
"Is ná ceil orm do phóg;
Tabhair dom sáile do bhéilin
Gan salainn ar bith ann
Is béarfad duan bhreá duit
Gan dúchas gan Chríost
Ann.